Meet big **Q** and little **q**.

Trace each letter with your finger and say its name.

1

Q is for

queen

Q is also for

quick

quilt

quack

question

3

Qq Story

A **q**ueen got under her **q**uilt.
It was **q**uite cozy!

4

The castle was **q**uiet,
so the **q**ueen fell asleep.

ZZ ZZ z
ZZZZ Z!

A **q**uail and a duck came by.
SING, SING! **Q**UACK, **Q**UACK!
They were **q**uite loud!

Quick as a wink,
the **q**ueen **q**uit sleeping.

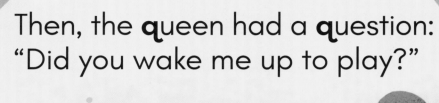

Then, the **q**ueen had a **q**uestion:
"Did you wake me up to play?"